AVE
BRASIL

Glossary
Portuguese - English

by

Ann Rennard
Emma Eberlein O. F. Lima

E.P.U. EDITORA PEDAGÓGICA
E UNIVERSITÁRIA LTDA.

AVENIDA BRASIL

Glossary Portuguese-English

by

Ann Rennard — born in California, USA, graduate from Eastern Michigan University (Business Administration). Living in São Paulo for a few years, she learned Portuguese and used it as a tool to know and understand Brazil and the Brazilian people.

Emma Eberlein O. F. Lima — teacher of Portuguese for Foreigners in São Paulo; co-author or Falando, Lendo, Escrevendo — Portugues — Um curso para Estrangeiros (E.P.U.); Português Via Brasil — Curso avançado para estrangeiros (E.P.U.); Director of Polyglot — Courses of Portuguese for Foreigners in São Paulo.

Dados Internacionais de Catalogação na Publicação (CIP)
(Câmara Brasileira do Livro, SP, Brasil)

Rennard, Ann.
    Avenida Brasil : glossary Portuguese-English /
Ann Rennard, Emma Eberlein O.F. Lima. -- São Paulo :
EPU, 1992.

    ISBN 85-12-54720-0

    1. Inglês - Estudo e ensino - Brasileiros 2. Português - Dicionários - Inglês I. Lima, Emma Eberlein
O.F. II. Título. III. Título: Glossary Portuguese-
English.

92-2301   CDD-469.32

Indices para catálogo sistemático:
    1. Português : Dicionários : Inglês   469.32
    2. Português-inglês : Dicionários   469.32

Summary

ISBN 85-12-**54720**-0

E.P.U. — Rua Joaquim Floriano, 72 — 6º andar — salas 65/68 (Ed. São
Paulo Head Offices) CEP 04534-000 — Tel. (011) 829-6077 —
Fax. (011) 820-5803 — C.P. 7509 — Cep 01064-970 — São Paulo — SP
Impresso no Brasil   Printed in Brazil

Preface

This glossary contains all the vocabulary used in **Avenida Brasil** (Student's Book) except the words and expressions that appear only in the texts for oral and written comprehension.

The words and expressions are listed according to the order in which they appear in the various steps of the book.

Words that have a common meaning (for instance: days of the week, name of the months) are organized in boxes as well as cultural information relevant to the understanding of the texts.

The authors

Lição 1

Como é seu nome?   A1

Como é seu nome?	What is your name?
como	how
ser	to be (*verb*)
seu	your, his, her, its
o nome	name

Greeting and Saying Farewell

bom-dia	good morning (*until midday*)
boa-tarde	good afternoon (*until 6 PM*)
boa-noite	good evening-good night (*after 6 PM*)

---

bom	good
dia	day
tarde	afternoon
noite	evening or night
meu	my (*possesive 1ST p. sg. masc.*)

Como se escreve?   A2

Como se escreve?	How is it written?
escrever	to write (*verb*)
E como o senhor se chama?	And what is your name? (and how are you called?)

Addressing people

o senhor, os senhores	you *masculine, singular, plural, (formal usage)*
a senhora, as senhoras	you *feminine, singular, plural (formal usage)*

Addressing people	
você, vocês	you *singular, plural (informal usage for friends, persons of same age and same social level)*

e	and
chamar-se	To be called (call oneself)
Eu me chamo ...	I am called (call myself)
eu	I
sobrenome	surname

A3 O senhor é ...?

americano, -a	American
sim	yes
alemão, -ã, -ães, -ãs	German
não	no
holandês, -esa	Dutch
a nacionalidade	nationality
francês, -a	French
canadense	Canadian

A4 Qual é a sua profissão?

Qual é a sua profissão?	What is your profession?
a profissão, -ões	profession
o jornalista	journalist
trabalhar	to work
o jornal	newspaper
o Brasil	Brazil
do Brasil	from, of Brazil
onde	where
morar	to live
na França	in France
em Paris	in Paris

8

o/a médico, a	doctor
o/a professor, a	teacher, professor
o/a cozinheiro, a	cook
o/a arquiteto, a	architect
até-logo	good-bye, see you soon
tchau	good-bye (very informal)

Verbo irregular *ser* B1

o verbo	verb
irregular	irregular
ela	she
elas	they (*f*)
nós	we
ele	he
eles	they (*m*)
responder	to answer
o que	what
a secretária	secretary
o/a italiano, -a	Italian

Verbos regulares em *-ar* B2

regular	regular
outros verbos	other verbs
completar	to complete
estudar	to study
falar	to speak, talk
perguntar	to ask a question
começar	to begin
inglês	English
o hotel	hotel

Onde? - *no, na, nos, nas* B3

o país	country (*nation*)
o Japão	Japan
o Senegal	Senegal
o Peru	Peru
a Alemanha	Germany

a Argentina	Argentina
os Estados Unidos	United States
a cidade	city
Atenas	Athens
o lugar	place
o restaurante	restaurant
o hospital	hospital
a biblioteca	library
a escola	school
a farmácia	pharmacy
observar	to observe
a ilustração, -ões	illustration(s)
escolher	to choose
ou	or
adequado	adequate

C Comandos utilizados no livro

o comando	command
utilizar	to use
o livro	book
Leia estes comandos	Read these commands (imperative)
ler	to read
estes	these
Corrija.	Correct.
corrigir	to correct
Identifique.	Identify (imperative)
identificar	to identify
Organize o diálogo.	Organize the dialog (imperative)
organizar	to organize
Ouça.	Listen (imperative)
ouvir	to listen
Preencha ...	Fill in (imperative)
preencher	to fill in
Relacione.	Connect (imperative)
relacionar	to connect
Faça a pergunta.	Ask the question.
fazer	to make
a pergunta	question
agora	now
o exercício	exercise
com	with

10

a enfermeira	nurse
o artista	artist
a televisão	televison
entrevistar	to interview
Português	Portuguese
o motorista	driver
o bancário	bank employee
o/a comerciante	merchant
o hoteleiro	hotel owner or manager
o banco	bank
o filme	film
o shopping center	shopping center
o turismo	tourism
o carro	car

Gente   D1

a gente	people
o texto	text
a foto	photograph
a atriz principal	leading actress
a atriz	actress
a busca	search
frenético	frantic
o cineasta	filmmaker
a língua	language
polonês	Polish
último	last

No telefone   D2

o telefone	telephone
o bilhete	note
o recado	message
para o Sr(a)	for Mr, (Mrs)
telefonar	to telephone
esteve no hotel	was in the hotel

E1 Números

o número	number
a fita	tape
repetir	to repeat

E2

marcar	to mark
o algarismo	numeral, figure
o colega	coleague
necessário	necessary

Lição 2

Este é meu colega   A1

Como vai?	How are you?
ir	to go
bem	well

Ele trabalha bem.	He works well.
Ele é um bom médico.	He is a good doctor.

muito prazer	Glad to meet you
muito	very, a lot
o prazer	pleasure
Oi!	Hello!
Tudo bem.	Everything is all right.
tudo	all

Como vai? Tudo bem?	How are you? Is everything all right?

minha	mine (*Poss. Pron. f.*)
o irmão, -ãos	brother
o amigo	friend
o marido	husband, spouse
a mulher	wife, woman

Vamos ...   A2

almoçar	eat, to lunch
também	also, too
quando	when
amanhã	tomorrow
ao meio-dia	at 12:00 noon

meio, o meio	half, middle
hoje	today
à noite	at night
poder	can, may, to be able
ótimo	excellent
a atividade	activity
o cinema	cinema, movies, movie theater
o teatro	theater
o concerto	concert
o jogo de futebol	soccer game
o jogo	game
o futebol	soccer
jantar	have dinner
tomar	to drink, take
o cafezinho	small cup of coffee

Cafezinho

Literally: small coffee. Cafezinho *is served in very small cups, generally with a lot of sugar. It is an important part of every social gathering. It is also always served at the end of meals.*

---

junto	together
o domingo	Sunday
a segunda-feira	Monday
a terça-feira	Tuesday
a quarta-feira	Wednesday
a quinta-feira	Thursday
a sexta-feira	Friday
o sábado	Saturday
o período do dia	period of the day (*i.e., morning*)
de manhã	in the morning
de tarde	in the afternoon
à noite	in the evening, at night
a (prep.)	to, at, in, on

Que horas são?	What time is it?
a hora	hour, time
já	already
estou atrasado	I am late
estou adiantado	I am early
estar	to be

---

ser - estar

In Portuguese, there are two verbs for the verb "to be"! **Ser** *is associated with permanent characteristics.* **Estar** *is associated with temporary conditions or location.*

Eu sou brasileiro.	I am Brazilian
Eu estou atrasado	I am late

---

uma e meia	1:30
à uma em ponto	at exactly 1:00
São 20 para as 10.	It is 20 minutes to 10:00.
o relógio	watch, clock

A que horas?   A4

A que horas?	At what time? When?

Você pode ...?   A5

ter	to have
de ... a	from... to (*until*)
a agenda	date book
o/a dentista	dentist
a aula	class
a reunião, -ões	meeting

15

B1 Pronomes demonstrativos e possessivos

o pronome demonstrativo	demonstrative pronoun
o pronome possessivo	possessive pronoun
masculino	masculine
feminino	feminine
o plural	plural
o singular	singular
o/a chefe	boss, manager, director
o ex-marido	ex-husband
o caderno	notebook
o lápis	pencil
a borracha	eraser
a caneta	pen
a bolsa	purse, pocketbook
os óculos	eyeglasses

B2 Verbo irregular *ir*

o clube	club

B3 Futuro imediato

o futuro	future
imediato	immediate
o infinitivo	infinitive
combinar	to combine
o elemento	element
a frase	phrase, sentence
viajar	to travel
dançar	to dance

B4 Verbos irregulares *poder, ter*

o tempo	time, weather
o trabalho	work
o dinheiro	money
ter programa	to have something scheduled
o programa	plan
comprar	to buy

Almoço C1

o almoço	lunch
que pena	what a pity
conversar	to converse, talk, chat

Convite para um fim-de-semana C2

o convite	invitation
o fim-de-semana	week-end
Só estou livre no sábado...	I am free only on Saturday
só	only, just
estar livre	to be free, available
livre	free
a praia	beach
cedinho	very early
assim	thus
chegar	to arrive
bem cedo	very early
cedo	early
usar	to use
abaixo	below
o piquenique	picnic

Programa de sexta-feira D1

depois	after, afterwards
explicar	to explain

Telefonemas D2

o telefonema	telephone call
indicar	to indicate
a seqüência	sequence
novamente	again, another time
a secretária eletrônica	answering machine
eletrônico	electronic
a mesa	table
reservado	reserved

Não há mais entradas. There are no tickets left.
a entrada admission, entrance

E1 Comunicação na sala de aula

comunicação na sala de aula communication in the classroom
a comunicação, -ões communication
a sala de aula classroom
a sala room
o aluno, a aluna student
Não entendi. I did not understand
entender to understand
Mais alto, por favor. Louder, please
por favor please
Pode repetir, por favor? Can you repeat, please?
repetir to repeat
O que está escrito ...? What is written ...?
Em que página? On what page?
a página page
Soletre, por favor. Spell it, please.
soletrar to spell
Como se fala ... em português? How do you say... in Portuguese?
Estou perdido. I am lost.
Escreva a frase na lousa, por favor. Write the sentence on the blackboard, please
a lousa blackboard
Está claro? Is it clear?
claro clear
Quem não entendeu? Who did not understand?
em casa at home
Alguma dúvida? Is there any doubt?
a dúvida doubt
Trabalhem em pares, por favor. Work in pairs, please.
o par pair

Lição 3

Mesa para quantas pessoas? A1

Mesa para quantas pessoas?	A table for how many people?
quantos/as	how many
a pessoa	person
quanto tempo	how much time
quanto	how much
esperar	to wait
mais ou menos	more or less

Vamos tomar um aperitivo? A2

Vamos tomar um aperitivo?	Shall we have a drink?
o aperitivo	aperitif, drink
antes de	before
Você gosta de caipirinha?	Do you like caipirinha?
gostar de	to like
obrigado/a	thank you

Obrigado	*is used by a man;*
obrigada	*is used by a woman.*

Sua mesa está livre agora, senhor	Your table is available now, sir.
o senhor	gentleman
a batida	*alcoholic beverage made of pinga, lemon, sugar, juice and ice*
o suco	juice
o abacate	avocado
o abacaxi	pineapple
a carambola	a fruit found in Brazil
o coco	coconut

19

a goiaba	guava
a laranja	orange
o limão, -ões	lemon(s)
o maracujá	passion fruit
o melão	melon
o pêssego	peach
o tomate	tomato
a pinga	*alcoholic drink made from sugarcane*
o cardápio	menu
a entrada	first course
a salada mista	mixed salad
a salada	salad
misto	mixed
o alface	lettuce
o palmito	heart of palm
a ervilha	pea
a canja	*chicken soup with rice*
a sopa	soup
o creme de aspargos	cream of asparagus
o aspargo	asparagus
a carne	meat
o filé grelhado	grilled steak, such as filet mignon or t-bone
o filé	steak
grelhado	grilled
o legume	vegetable

Legumes *are vegetables other than leafy vegetables (i.e: peas, carrots, corn etc).*
Leafy vegetables are called verdura

bife a cavalo	steak with fried egg on top
o bife	steak
o arroz	rice
o lombo assado	roast pork loin
o lombo	pork loin
assado	roasted
espeto misto	mixed grill
o espeto	spit (*for roasting meat*)

20

a ave	fowl
frango à passarinho	*small pieces of chicken, fried*
o frango	chicken
o alho	garlic
o óleo	oil
o frango ensopado	chicken stew
o ensopado	stew
a batata	potato
o peixe	fish
peixe à brasileira	fish, Brazilian style (*with sauce*)
frito	fried
o molho	sauce
o camarão, -ões	shimp(s)
massas	pastas
spaghetti ao sugo	spaghetti with tomato sauce
o spaghetti	spaghetti
tagliarini à bolonhesa	*flat noodles with meat sauce*
o tagliarini	flat noodles
lasanha gratinada	lasagna with baked cheese on top
a lasanha	lasagne
a guarnição, -ões	garnish (es)
batata frita	fried potatoes
a farofa	*manioc flour toasted in butter or olive oil*
o brócoles	broccoli
a cenoura	carrot
a vagem	green bean
a couve-flor	cauliflower
a sobremesa	dessert
o pudim de caramelo	caramel pudding
o pudim	pudding
o caramelo	caramel
o sorvete	ice cream
frutas da estação	fruits in season
a fruta	fruit
a estação, -ões	season
a bebida	beverage
a cerveja	beer
o refrigerante	soft drink
a água mineral	mineral water
a água	water
o vinho nacional	wine from Brazil

o vinho	wine
nacional	national
o vinho estrangeiro	imported wine
estrangeiro	foreign, foreign countries
o vinho branco	white wine
o vinho tinto	red wine
serviço incluído	service charge included

A3 O que a senhora vai pedir?

pedir	to request, order
mal passado	rare
bem passado	well-done
ao ponto	medium
eu quero ...	I want
querer	to want
E o que mais?	And what else?
E para beber?	And to drink?
beber	to drink
uma cerveja bem gelada	a very cold beer
gelado	frosty
Para mim ...	For me
um/a	a, the (*article*)
a água mineral com gás	carbonated water
A conta, por favor	The bill, please
a conta	bill

A4 Na lanchonete

a lanchonete	snack bar
estar com fome	to be hungry
a fome	hunger
mas	but, however
a sede	thirst
bem grande	very large
o sanduiche	sandwich
só	only
o garçom	waiter
o bauru	*warm sandwich with cheese, ham, tomato and sauce*

o lanche	snack
o americano	*warm sandwich with cheese, ham, and egg*
o misto	*sandwich with cheese and ham*
o presunto	ham
o queijo	cheese
o salame	salami
o (*sanduiche de*) churrasco	steak sandwich
a calabresa	sausage
o hot-dog	hot dog
o hambúrger	hamburger
o cheesbúrger	cheeseburger
o cheesbúrger salada	cheeseburger with lettuce and tomato
o cheesbúrger maionese	cheeseburger with mayonaise
o cheesbúrger bacon	cheeseburger with bacon
o cheesbúrger egg	cheeseburger with egg

---

o pastel	*a kind of fried pie filled with various things such as cheese, meat or heart of palm often sold at open air markets or small snack bars.*
a coxinha	*dough filled with chicken and fried in the shape of a chicken leg*
a empada	*a small pot pie filled with chicken or heart of palm.*

Pastel, coxinha and empada *are to be found in any snack bar and are generally served at cocktail parties*

Queremos convidar vocês ... A5

convidar	to invite
tipicamente	typically
brasileiro	Brazilian
Que bom.	How nice! That's good.
primeiro	first
gostoso	tasty
o feijão	beans

o pernil	fresh ham
o doce	sweet
o jantar	dinner

B1 Pronomes possessivos: *seu, sua, seus, suas*

a lacuna	blank
sempre	always
o brasileiro	Brazilian
os filhos	children, sons
o filho	son
no próximo sábado	next Saturday
próximo/a	next

B2 Verbos em *-ar: gostar de*

o artigo	article
o exemplo	example
o museu de arte	art museum
o museu	museum
a arte	art

> Feijoada *is the most typical Brazilian dish. It is generally made in a single pot with black beans and pork, often served with* "couve" *(a leafy vegetable), farofa, rice, orange slices and caipirinha.*
> *In restaurants it is traditionally served on Wednesdays and Saturdays.*

| novo | new |
| tropical | tropical |

B3 Verbo irregular *estar*

a universidade	university
o escritório	office
Londres	London
a família	family

eu não sei	I do not know
saber	to know

Verbos regulares em -er B4

comer	to eat
oferecer	to offer
aprender	to learn
correr	to run
bêbado	drunk
a corrida	race
a carta	letter
porque	because

Verbo irregular *querer* B5

depois da aula	after class
depois de	after
as férias	vacation
a classe	class
relatar	to tell

Ser   estar B6

o/a japonês/a	Japanese
o presidente	president
visitar	to visit

Observe as situações e imagine os diálogos C

a situação, -ões	situation
imaginar	to imagine
o vegetariano	vegetarian
vegetariano	vegetarian
levar	to take
pouco	little
o prato	plate
o almoço de negócios	business lunch
o negócio	business

ocupado	busy, occupied
mudar	to change
a espera	wait
dentro de meia hora	within half-an-hour
dentro de	within

D1 Carne e peixe

o freguês	customer
contente	happy, pleased, satisfied
descontente	dissatisfied
o churrasco	bar b q
a especialidade	speciality
continuar	to continue
servir	to serve

D2 Feijoada

o título	title, heading, top line
o anúncio	advertisement
correto	correct
discar	to dial
reservar	to reserve
dizer	to say
completo	complete
sem	without

E1 Almoço e jantar

quente	hot
a pressa	haste, hurry
frio	cold
a caloria	calorie
o aniversário	birthday
especial	special

E2 A mesa

| os talheres | silverware |
| a colher de chá | teaspoon |

a colher	spoon
o chá	tea
a colher de sobremesa	dessert spoon
a colherinha	small spoon for cafezinho
o copo	glass, drinking glass
a faca	knife
o garfo	fork
o guardanapo	napkin
a toalha	tablecloth
a xícara	cup
a xicrinha	small cup for cafezinho

Lição 4

A1 Quero fazer uma reserva

Quero fazer uma reserva.	I want to make a reservation
a reserva	reservation
Hotel Deville, às suas ordens.	Hotel Deville, may I help you?
o apartamento duplo	double room
o apartamento	hotel room, apartment
duplo	double
Para quando?	For when?
Para dia 10 de novembro	For November 10

> *In Portuguese the dates are referred to as follows:* dia *primeiro* de novembro, dia *dois* de novembro, dia *três* de...

novembro	November
ficar	to remain, stay
a entrada	entrance
a saída	exit
Certo?	Correct?

A2 Prefiro um apartamento de fundo

Prefiro um apartamento de fundo	I prefer a room toward the back
preferir	to prefer
... de fundo	in back
... de frente	in front
Pois não?	Can I help you?
o apartamento simples	single room
simples	single
a suite	suite
a suite especial	luxury suite
De quanto é a diária?	What is the cost per day?

aqui	here
o preço	price
caro	expensive
o barulho	noise
a rua	street
o documento	document, paper
o passaporte	passport
Leve a bagagem dela para cima.	Take her baggage upstairs
dela	her (poss. pron., 3rd person singular)
levar	to take
a bagagem	baggage, luggage
para cima	upstairs
o frigobar	minibar (small fridge/bar)
o ar condicionado	air conditioner
o ar	air

O chuveiro não está funcionando   A3

O chuveiro não está funcionando	The shower is not working
o chuveiro	shower
funcionar	to function
Queria mudar de quarto.	I would like to change my room.
Algum problema?	Do you have a problem?
o problema	problem
É que ... o quarto tem cheiro de mofo	It is that ... the room smells like mould.
o cheiro	smell, odor
o mofo	mould
Não tem problema.	It is not a problem.
mudar	to move, change
barulhento	loud, noisy
o elevador	elevator
ao lado	at the side
a cama	bed
duro	hard
o quarto	bedroom
escuro	dark
pequeno	small
abafado	stuffy, sultry

A4 É perto?

É perto?	Is it close?
perto	close, nearby
Eu gostaria de conhecer a cidade.	I would like to see the city.
Gostaria de ...	I would like...
conhecer	to know, to become acquainted with
recomendar	to recommend
Por que a senhora não vai visitar?	Why don't you visit...?
por que?	why?
A que horas abre?	What time does it open?
abrir	to open
Acho que às 9.	I think at 9:00.
achar	to think, find
A senhora precisa tomar um taxi?	Do you need a taxi?
precisar	to need
tomar	to take
o táxi	taxi
o ônibus	bus
andar a pé	to walk (on foot)
andar	to go, walk, drive, ride
o pé	foot
talvez	maybe, perhaps
Então, por que a senhora não vai visitar ... ?	Then, why don't you visit...?
então	then, in that case, so
Passeio Público	*name of a park in Curitiba*
o passeio	outing, leisurely trip
público	public
Fica perto daqui.	It is located nearby.
daqui	from here
ficar	to be located
ficar longe	to be located faraway
o parque	park
o bosque	woods
o imigrante	immigrant

Siga em frente	Proceed further, go ahead
seguir	to follow, proceed
Pois não.	Yes, sure.
a rodoviária	bus terminal
vire à direita	turn right
virar	to turn
a direita	right
a esquerda	left
o correio	post office
até	until, up to
o sinal	signal, traffic light
o quarteirão	block
a quadra	block
a esquina	corner
segundo/a	second
terceiro/a	third
a padaria	bakery
o largo	public square, plaza
a praça	large square
o colégio	school
a doceria	candy shop

Verbo *ficar*   B1

faça o mesmo	make the same
o mesmo	same
os pais	parents
a piscina	swimming pool
para onde	to where

Pronomes possessivos: *dele, dela, deles, delas*   B2

dele	his (*poss. pron., 3rd pers. singular, masc.*)
sobre	about
o engenheiro	engineer
bonito	pretty, handsome, beautiful
o/a namorado/a	boyfriend, girlfriend
o/a estudante	student

a vida	life
o salário	salary
baixo	low, short
a mãe	mother
a empregada doméstica	maid
o/a empregado/a	employee
doméstico	domestic
difícil	difficult
o centro	center

B3 Comparação com *mais*

a comparação	comparison
o mar	sea, ocean
tranqüilo	tranquil, calm, peaceful
claro	clear
a avenida	avenue, street

B4 Verbos em *-ir*

partir	to leave, depart
discutir	to discuss, argue
assistir	to attend, watch, assist
dividir	to divide
desistir	to desist, give up
decidir	to decide
permitir	to permit
proibir	to prohibit
a loja	shop, store
a bilheteria	ticket counter
a correspondência	correspondence, mail
a porta	door

B5 Verbos irregulares: *fazer, preferir*

a ginástica	gymnastics, exercise
o cooper	jogging
a agência	agency
a criança	child
o avião	airplane

seguro	safe, secure
viver	to live

Verbos *abrir, fazer, preferir* B6

nada	nothing
dormir	to sleep
fechado	closed
o diretor	director
pessoalmente	personally

Está funcionando B7

devagar	slowly

Imperativo B8

a ordem	order, command
o silêncio	silence
a janela	window
reduzir	to reduce
a velocidade	speed, velocity
parar	to stop

Hotel C1

estar hospedado	to be a guest in a hotel
hospedar	to receive a guest
o conforto	comfort
o bar	bar
a camareira	chambermaid
a ordem	ordem, neatness
a desordem	disorder, untidiness
sujo	dirty
limpo	clean
limpar	to clean
o banheiro	bathroom
arrumar	to straighten, tidy up, arrange
faltar	to miss, be missing

a toalha	towel
o sabonete	toilet soap
trocar	to change
o lençol	sheet
a luz	light
O senhor tem razão.	You are quite right.
ter razão	to be right
a razão	reason, right
o gerente	manager

C2 Caminhos

o caminho	road, way, route
consultar	to consult
o mapa	map
dirigir	to drive
a drogaria	drugstore, pharmacy
importante	important
o modo	mode, manner
o estádio	stadium
o evento	event
o show	show
lá	there
pegar	to catch
o bonde	streetcar, trolley
descer	to descend, go down, get off

D1 Quem procura o quê?

procurar	to look for
interessar	to interest
o empresário	entrepreneur
o paulista	of or pertaining to the state of Sao Paulo
o plano	plan
passar	to pass, spend
o ambiente	environment
social	social
a montanha	mountain
o aposentado	retiree
a metade	half

o ano	year
o fazendeiro	farmer
o interior	interior
investir	to invest
gastar	to spend
ideal	ideal
cada	each

Onde você está? D2

examinar	to examine
encontrar	to meet (*with*), find, discover
apontar	to point, indicate
o local	place, locale

Trânsito E1

o trânsito	traffic
a placa de trânsito	traffic sign
a placa	plate, sign
parada obrigatória	compulsory stop
a parada	stop
obrigatório	obligatory, compulsory
sentido proibido	direction prohibited
o sentido	direction
proibido estacionar	parking is prohibited
proibido	prohibited
estacionar	to park
estacionamento regulamentado	parking allowed
o estacionamento	parking lot
proibido parar ou estacionar	stopping or parking prohibited
velocidade máxima	max. speed permitted
máximo	maximum
mão dupla	two-way traffic
a mão, -ãos	direction
contramão	against one-way traffic
a sorte	good luck
a vaga	vacancy
ali atrás do carro...	there behind the car
ali	there, in that place

atrás	behind
azul	blue
olhar	to look at
o guarda	guard
de jeito nenhum	no way
Aqui nem podemos parar.	We cannot even stop here.
nem	neither, nor, not even
Esta rua é de duas mãos?	Is this street two-way?
mão única	one-way
Não vire nem à esquerda nem à direita.	Do not turn left or right.
o excesso de velocidade	excessive speed, too fast
o excesso	excess
o moço	young man
a multa	fine, ticket

E2 Números

a área	area
a população, -ões	population
urbano	urban
rural	rural
a capital	capital
o município	municipal district, city
principal	principal
a rodovia	highway
federal	federal
estadual	of the state

Lição 5

Estou procurando uma casa para alugar   A1

alugar	to rent
ajudar	to help
neste bairro	in this area
neste	in this
o bairro	area of the city
possível	possible
o jardim	garden
o quintal	backyard
fácil	easy
a região, -ões	region
a preferência	preference
a zona oeste	western side of the city
a zona	zone, area
o oeste	west
a ficha	file
o sobrado	two-storey house
Já encontrou alguma coisa?	You already found something?
a coisa	thing
parecer	to appear, seem, look
interessante	interesting
o térreo	the ground level, downstairs
a cozinha	kitchen
o lavabo	guest bathroom, powder room
o andar superior	upper floor, upstairs
o andar	floor, storey, level
superior	higher
casa térrea	one-storey house

Abbreviations in the advertising:

dorms. = dormitórios	bedrooms
apto. = apartamento	appartment
arm. = armário	cupboard, closet
AE = armário embutido	built-in closet

37

o dormitório	bedroom
a sala	living room
o living	living room
a sala de jantar	dining room
a suite	suite
o armário embutido	built-in closet
o armário	cupboard, closet
a área de serviço	service area
o terraço	terrace
o WC	toilet

A2 Esta sala é um pouco escura.

a chave	key
o portão, -ões	gate
menor	smaller
único	only
A divisão interna é muito bem feita.	The interior is divided well.
a divisão, -ões	division
interno	internal, inside
o cômodo	room
por último	at the end
o roupeiro	wardrobe, clothes closet
Não bate sol.	It never gets sun.
bater	to hit
o sol	sun
o lado	side
ensolarado	sunny
úmido	humid
nem um pouco	not even a little
diferente	different

A3 Você já resolveu seu problema de apartamento?

resolver	to decide
ainda não	not yet
ainda	still, yet
naquele ...	in that...
o prédio	building

mas não deu certo	but it did not turn out well
dar certo	to turn out well
o vizinho	neighbour
o aluguel	lease
a rua comercial	commercial street
comercial	commercial
a garagem	garage
feio	ugly
barato	inexpensive
a vantagem	advantage
a desvantagem	disadvantage
velho	old
cada um	each one
chamar	to call
descrever	to describe
pagar	to pay

Onde está ...?   A4

o retro-projetor	overhead projector
a parede	wall
o toca-fitas	tape recorder
estar sentado	to be sitting
a palavra	word
em cima de	on the top of
embaixo de	under
entre	between
atrás de	behind
em frente de	in front of
ao lado de	beside
no meio	in the middle
na lousa	on the blackboard
o desenho	drawing, picture
a almofada	cushion, pillow
a cadeira	chair
o cobertor	blanket
o espelho	mirror
a estante	bookcase
o fogão, -ões	stove
o quadro	picture, painting
o sofá	sofa
o tapete	rug

39

o travesseiro   bed pillow
o vaso   vase

B1 Pretérito perfeito: verbos em -ar

a forma	form
ontem	yesterday
mudar-se	to change one's lodgings
o vendedor	salesman
aumentar	to increase

B2 Pretérito perfeito: verbos em -er

receber	to receive
famoso	famous
pelo contrário	to the contrary
a comida	food

B3 Pretérito perfeito: verbos em -ir

durante algum tempo	for some time
durante	during
diminuir	to reduce, diminish
a despesa	expense
a exposição	exhibit
o carro antigo	old car (antique)

B4 Verbos em -ar, -er, -ir

no último fim-de-semana	(on the) last week-end
no mês passado	in the last month
passado	past

B5 Comparativo

o comparativo	comparative
tão ... quanto/como	as...as
maior	larger

melhor	better
pior	worse
ruim	bad
comparar	to compare
rápido	fast
econômico	economical
confortável	comfortable
moderno	modern
pesado	heavy

Como é sua casa?   C1

desenhar	to design, draw
a planta	plan, blueprint
o detalhe	detail
a varanda	veranda
estreito	narrow
o sonho	dream

Decoração da casa nova   C2

a decoração, -ões	decoration
a cortina	curtain
o abajur	table lamp
o aparelho de som	stereo system
o aparelho	equipment
a poltrona	upholstered chair
o chão	floor
a mesa de centro	cocktail table
colocar	to place
tirar	to remove
prático	practical

Gostaria de colocar um anúncio no jornal   D1

colocar um anúncio	to place an advertisement
a alternativa correta	correct alternative
a alternativa	alternative
preço a combinar	price is negotiable
combinar	to negotiate (*price*)

41

D2 Casas populares

casas populares	popular houses
a situação habitacional	housing situation
próprio	private, own (not rented)
luxuoso	luxurious
a estatística	statistics
a expressão, -ões	expression
a pirâmide social	social pyramid
a pirâmide	pyramid
seguinte	following
o trecho	section, part
o dicionário	dictionary
o parágrafo	paragraph
mais uma vez	one more time
a vez	time
construir	to construct
o mutirão, -ões	to build with help of neighbours, friends
a ajuda	help
computar	to compute, estimate
a mão-de-obra	labor
incluir	to include
o custo	cost
o preço da construção	price (cost) of construction
a construção, -ões	construction
o computador	computer, calculator
o trabalhador	worker, laborer

Lição 6

O dia-a-dia de duas brasileiras   A1

a dona de casa	housewife
dou aulas ...	give classes
dar	to give
numa escola	in a school
numa	in a
particular	private
Como nossa casa é grande ...	As our house is so big...
dar trabalho	to require a lot of work
a faxineira	maid, cleaning lady
o judô	judo
o ballet	ballet
Eu as levo para lá e para cá o tempo todo.	I take them here and there all the time.
para lá e para cá	here and there
lá	there
para cá	here
o tempo todo	all the time
eu vou buscá-las	I pick them up
ir buscar	to go for, fetch
terrível	terrible
geralmente	generally
de vez em quando	every now and then
às vezes	at times
filhos adolescentes	adolescent children (*teenagers*)
adolescente	adolescent
o emprego	job (*employment*)
levantar	to rise
Dou café para minha família	I give my family breakfast
o café	coffee, breakfast

a patroa	employer

Generally, a *patroa* is the housewife.

lavar	to wash
passar roupa	to iron clothes
passar	to iron
a roupa	clothes
graças a Deus	thanks to God
Deus	God
a fábrica	factory
o supermercado	supermarkt

Puxa!	Gosh! Gee!

cansado	tired
passear	to stroll, take leisurely trip
o dia inteiro	the entire day
inteiro	entire
Por isso mesmo.	That's the reason.
fazer compras	to shop, make purchases
a compra	purchase
Ontem liguei ... mas ninguém atendeu.	Yesterday I called... but no one answered.
atender	to answer
logo de manhã	early in the morning
logo	soon
finalmente	finally

A2 Rotinas

a rotina	routine
a idade	age
o horário de trabalho	work schedule

preparar   to prepare

Pretérito perfeito - Verbos irregulares *ser* e *ir*   B1

o ovo   egg
rico   rich
pobre   poor
o paciente   patient
casado   married

Pretérito perfeito - Verbos irregulares *ter, estar, fazer*   B2

a festa   party
o teste   test

Pretérito perfeito dos verbos irregulares *querer* e *poder*   B3

o compromisso   engagement, appointment

Verbo irregular *dar*: Presente e pretérito perfeito   B4

conjugar   to conjugate
a conjugação, -ões   conjugation
a nota   grade

Verbos irregulares no pretérito perfeito   B5

o presente   present

Pronomes pessoais: o, a, os, as, -lo, -la, -los, -las   B6

o pronome pessoal   personal pronoum
Claro, ...   Naturally, of course...

C1 Sete Brasileiros

Eis as respostas.	Here are the answers
a resposta	answer, response
a faculdade	college
a prova	test
a matemática	mathematics
a academia	academy
É só.	That's all.
o vendedor ambulante	street vendor
é sempre a mesma coisa	it is always the same thing
o carrinho	cart
sobrar	to remain

o favelado	*person who lives in a favela*

Favelas *are slum areas. Dwellings of wood, cardboard or other scrap material are constructed on vacant land.* Favelas *exist in large cities, scattered throughout the city. Some are quite large.*

metódico	methodical
em seguida	following
tomar banho	to take a bath
como de costume	as usual
reunir-se	to meet
o assessor	advisor
o diretor financeiro	finance director
financeiro	financial
jantar fora	to eat dinner out
fora	out
os colegas do setor	colleagues in the same area of business
o setor	area
tratar de negócios	to discuss business
tratar	discuss
o negócio	business, transaction
a fazenda	farm
cansativo	tiring, stressful
a jornada na fábrica	day's work in the factory
a jornada	day's work

a fábrica	factory
doente	sick
jogar	to play (game)

The word **play** has many meanings in Portuguese. The most important are:

jogar futebol, xadrez, roleta	to play soccer, chess, roulette, etc.
brincar com brinquedos	to play with toys
representar um papel	to play a role (in the Theater, cinema)
tocar um instrumento	to play an instrument (piano, guitar, etc.)

---

a sinuca	snooker, pool
o pessoal	group
o/a sogro/a	father/mother-in-law
Aproveitei para ...	I took the opportunity to...
aproveitar	take the opportunity
o jacaré	alligator
a loucura	craziness, insanity
participar	to participate
acordar	to wake up
o estúdio	studio
gravar	to record

| a novela | A story on television, presented in chapters. |

Some have more than 200 chapters before reaching a conclusion. They are very popular in Brazil, shown on the major channels between 6:00 and 10:00 PM.

---

o comercial	commercial
a equipe	staff, team
Búzios	beach resort north of Rio de Janeiro
rodar	to film

a cena externa	outside scene
a cena	scene
voltar	to return
a peça	drama, play
o grupo	group
a ecologia	ecology
em geral	in general
o turista	tourist
a zona franca	free trade zone
o rapaz	young man
subir o rio	to go up the river
subir	to go up
o Rio Negro	the Rio Negro River
o barco	boat
a selva	jungle, rain forest
a caminhada	walk
a mata	forest
o clima	climate
o mosquito	mosquito
a experiência	experience
positivo	positive
o guia turístico	tourist guide

C3 Calendário brasileiro

o calendário	calendar

Os meses	The Months
janeiro	January
fevereiro	February
março	March
abril	April
maio	May
junho	June
julho	July
agosto	August
setembro	September
outubro	October
novembro	November
dezembro	December

As estações	The Seasons
o verão	Summer
o outono	Autumn
o inverno	Winter
a primavera	Spring

Os feriados	The Holidays
Confraternização Universal	January 1.
o carnaval	Carnival
Tiradentes	*Holiday to commemorate the day Tiradentes was executed. He was the leader of the revolution against the colonial power of the Portuguese.* April 21.
Dia do Trabalho	Labor Day. May 1.
festas juninas	*Celebrations to commemorate three saints in June: St. Anthony, St. John and St. Peter. They usually take place in the open air.*
Independência	*To celebrate the independence of Brazil from Portugal.* September 7
Nossa Senhora de Aparecida	October 12. *To commemorate the patron saint of Brazil.*
Proclamação da República	November, 15. *To commemorate the creation of the Republic.*
Natal	*Christmas.* December 25.

as férias escolares	school holidays
escolar	pertaining to school
o feriado nacional	national holiday
nacional	national
religioso	religious

D 1 Sinal fechado

o sinal fechado	red light (traffic signal)
a música	music
cantar	to sing
a letra	lyrics
incompleto	incomplete
esquecer	to forget
Eu vou indo e você?	I am going, and you?

D 2 Poesia e arte brasileira

a poesia	poetry
a arte	art
morto	dead
o pintor	painter
o poeta	poet
a infância	infancy
profissional	professional
o carioca	someone from Rio de Janeiro

E Poemas surrealistas

o poema	poem
surrealista	surreal
formar	to form
rir	to laugh

Revisão

o ponto de ônibus	bus station
o ponto	stop (bus, railway, etc.)
antes	before

Jogo da velha   R2

o jogo da velha	Tic Tac Toe (*name of game*)
a instrução	instruction
a casa	square
o objetivo	objective
conquistar	to win (conquer)
a linha	line
reto	straight
horizontal	horizontal
vertical	vertical
diagonal	diagonal
ganhar	to win
contar	to count
o planetário	planitarium
a localização, -ões	location
o transporte	transportation
o café-da-manhã	breakfast
a sugestão, -ões	suggestion
o/a adulto/a	adult
o zoológico	zoo
o animal	animal
o inquilino	tenant
à vista	cash
a distância	distance
o comércio	commerce, trade

Lição 7

A1 Acho lindíssimo

acho lindíssimo	I think it is VERY pretty
lindíssimo	very pretty (superlative)
lindo	pretty, beautiful
dar origem a	to start
a origem	origin, source
o movimento	movement
literário	literary
provocar	to provoke
a agitação, -ões	agitation
cultural	cultural
o fim	end
os anos 20	the 20's

Movimento Antropofágico	Artistic movement

a boca	mouth
esquisito	strange, weird
genial	ingenious
a pintura	painting
estranho	strange
a perna	leg
enorme	enormous, huge
o braço	arm
a mão, -s	hand
a cabeça	head
minúsculo	miniscule, tiny
Olhe direito.	Look carefully.
direito	correctly
corpo	body
longo	long
liso	sleek
o rosto	face

o olho	eye
o nariz	nose
É tão interessante ...	It is so interesting...
tão	so
a opinião, -ões	opinion
o banho	bath
o pseudônimo	pseudonym
o ilustrador	illustrator
naturalizado	naturalized
atualmente	nowadays
a fonte de inspiração	the source of inspiration
a fonte	fountain
a inspiração	inspiration
a obra	work

Adão e Eva de Francisco Brennand   A2

a barriga	belly
o cotovelo	elbow
o dedo	finger, toe
o joelho	knee
o lábio	lip
o ombro	shoulder
a orelha	ear
o peito	breast, chest
o pênis	penis

o pescoço	neck
a garganta	throat, larynx
a nuca	nape, scruff

o seio	breast, bosom
a escultura	sculpture
o escultor	sculptor
o ateliê	studio
o engenho de açúcar	sugar farm
o açúcar	sugar
o cenário	scenario
compor	to compose
a apreciação	appreciation

gigantesco	gigantic
monstruoso	monstrous
a peça de cerâmica	piece of ceramic

A3 Será que vou ter um enfarte?

Será que vou ter um enfarte?	Do you think I will have a heart attack?
será que?	Is it possible?

Doenças	**Illnesses**
o enfarte	heart attack
a gripe	flu
o resfriado	cold
a febre	fever
a tosse	cough
a dor de cabeça	headache
de garganta	sore throat
de estômago	stomachache
de dente	toothache
nas costas	backache
nos pés	sore feet

grave	grave, serious
por enquanto	for the time being
enquanto	while

o doutor	**doctor**

The title of doctor is not limited to PhD's and doctors of medicine. It is also used by lawyers and often as a sign of respect.

a dor	pain, ache
as costas	back

Ando muito cansado ultimamente	I have been very tired lately
ultimamente	lately
fumar	to smoke
demais	too much
Isto não é bom.	This is not good.
preocupado	worried
o coração, -ões	heart
lhe	you, him, her (indirect object)
doença	illness
pesar	to weigh
o quilo	kilogram
o metro	meter
a altura	height
gordo demais	too fat
gordo	fat
ter que	to need to, have to
o regime	diet to lose weight
E tem mais, ...	And further...
o remédio	medicine, remedy
o sal	salt
a dieta	diet
a gordura	fat
se não	if not, otherwise
piorar	to become worse
a recomendação	recommendation
triste	sad
o dente	tooth
o estômago	stomach
menos	less

Estou péssimo   A4

Estou péssimo.	I am very bad.
péssimo	very bad
... melhorou da gripe?	Are you over the flu?
melhorar	to be better
Que nada!	Not at all!
matar	to kill
Calma.	Relax.
o começo	beginning
acostumar-se	to become accustomed to

pensar	to think
emagrecer	to lose weight
a paciência	patience
agüentar	to bear, put up with
estou fraco	I am very weak
fraco	weak, frail
passar mal	to be sick
mal	ill
a churrascaria	steakhouse
Droga!	Damn!
Coitado!	Poor thing!
Espero que fique bom logo.	I hope you recover soon.
sarar	to heal, cure
esperar	to hope
Estimo suas melhoras.	I hope you improve, get better

B1 Verbo irregular *ver*

a tabela	table

B2 Pronomes pessoais *lhe, lhes*

o endereço	address
mostrar	to show

B3 Superlativo absoluto

o superlativo	superlative
absoluto	absolute
agradável	agreeable, pleasant, pleasing
mau	bad

B4

o pão, -ães	bread
o/a cantor/a	singer
civil	civil
feliz	happy
gentil	genteel, pleasant
o inventário	inventory

Características   C

deixar	to let
a característica	characteristic
é meio gordo	he is a little fat
meio	half, medium
o cabelo	hair
castanho	brown
careca	bald
Gosto do jeito dele.	I like his manner.
nadar	to swim
inteligente	intelligent
alegre	happy, cheerful
aberto	open
comunicativo	communicative
fechado	introverted
reservado	reserved
ativo	active
esportivo	sporting
preguiçoso	lazy
otimista	optimistic
pessimista	pessimistic
tímido	timid, shy
desembaraçado	unembarrassed
intelectual	intellectual
complicado	complicated
simpático	nice, friendly
antipático	unfriendly, not nice
liberal	liberal
conservador	conservative
formal	formal
informal	informal
sensual	sensual
a revista	magazine
caracterizar	to characterize
apenas	only, just
a folha de papel	piece of paper
a folha	sheet, paper
o papel	paper
tentar	to try
adivinhar	to guess

D1

a garota	girl
Ipanema	*famous beach in Rio de Janeiro*
o charme	charm
Tai-Chi-Chuan	*type of martial art*
custar	to cost
praticar	to practice
o esporte	sport
mencionar	to mention

D2 Ioga

a ioga	yoga
fechar	to close

E1 Cabelo azul?

o queixo	chin
a testa	forehead
alto	high, tall
comprido	long
grosso	thick
quadrado	square
direito	right
esquerdo	left
fino	thin
loiro	blond

E2 Jogo das diferenças

a diferença	difference
igual	equal

Lição 8

Você concorda ou não concorda? A1

concordar	to agree
Vivemos para trabalhar	We live to work.
para	to
o mal	evil
descansar	to rest
Todo trabalho é digno.	All work is worthy.
todo	all, every
digno	worthy
o dever	duty, obligation
o direito	right
errado	false

Os direitos dos trabalhadores A3

a constituição	constitution
referir-se	to be relative to, refer to
os direitos fundamentais	fundamental rights
fundamental	fundamental
a diferença	difference
a realidade	reality
tornar ... mais agradável	to make... more pleasant
tornar	to make, change, render
semanal	weekly

A vida da mulher: Antigamente era melhor? A4

antigamente	formerly, before
a pressão dobrada	double pressure
a pressão, -ões	pressure
dobrado	increased, doubled
cuidar	to care for, look after
a tensão	tension
competir	to compete

59

B2 Rotinas no passado

o passado	the past
a boneca	doll
a bicicleta	bicycle
a história em quadrinhos	comics
brincar de cowboy e índio	to play cowboys and Indians
o cowboy (o caubói)	cowboy
o índio	Indian

B3 Descrição no passado

a descrição, -ões	description
total	total
o cofre	safe
assassinar	to assassinate
a polícia	police
a investigação	investigation
a visita	visitor

B4 Duas ações no passado

a ação	action
o rádio	radio

B6 Fale sobre suas últimas férias

... fazia muito calor.	... it was very hot.
o calor	heat
jogar cartas	to play cards
a carta	playing card

B7 Números ordinais

os números	ordinal numbers

a admissão, -ões	admission
a empresa de grande porte	very large business
a empresa	business, enterprise
o ramo	area
o vestuário	apparel, clothing
admitir	to accept
o assistente de vendas	sales assistant
a venda	sale, selling
o requisito	requirements
a administração, -ões	administration
o marketing	marketing
a disponibilidade	availability
a viagem	travel
enviar	to send
o curriculum vitae	resume
aos cuidados de	in care of
o estado civil	marital status
a formação	education
o recém formado	graduated
recém	recently
formado	graduated
selecionar	to select
o candidato	candidate
jovem	young
típico	typical
a carreira	career
a promoção	promotion
o local de trabalho	area of work
a indústria	industry
o horário de trabalho	work schedule
meio período	part-time
período integral	full-time
o horário flexível	flexible schedule
o horário fixo	fixed schedule
a ocupação	occupation
o técnico em eletrônica	electronic technician
o operário	worker, laborer
a informática	informatics, computing
a confecção (de roupas), -ões	clothing industry

D1

Elas são aceitas ...	They are accepted...
aceitar	to accept
Ganham tanto como os homens?	Do they earn as much as the men?
tanto como	as much as

D2

a greve	strike
o cobrador	collector
o culpado	culprit

E Definições

a definição	definition
diariamente	daily
o aviso prévio	advance notice
pedir demissão	to resign
pedir	to request
a demissão	resignation
... você passa a receber uma pensão	...you will start receiving a pension
passar a	to begin to

---

passar

The word passar *has several meanings:*

passar roupa	to iron clothes
passa lá em casa	to drop by the house
passar uns dias na praia	to spend days at the beach
passar mal	feel ill
passar a	to begin to

---

receber	to receive
a pensão, -ões	pension
a companhia	company, firm
avisar	to warn
anunciar	to announce, advertise
deixar o emprego	to leave work
deixar	to leave

a licença remunerada	leave of absence
demitir	to fire, dismiss
o adiantamento de salário	salary advance
o adiantamento	advancement

Lição 9

A1 D&B Modas

a calça jeans	jeans
a calça	pants, trousers
jeans	jeans
a camisa	shirt
manga comprida	long sleeved
a manga	sleeve
vários	various
a cor	color
a gravata	necktie
liso	plain, solid
listrado	striped
xadrez	checked
estampado	printed
o sapato de couro	leather shoe
o sapato	shoe
o couro	leather
o conjunto	ensemble, outfit
a saia	skirt
a blusa	blouse
a calcinha	panties
o soutiã	brassiere
a camiseta	tee shirt
a malha	knitwear
a meia	stocking, sock
a cueca	shorts (underwear)
o algodão	cotton
a fibra sintética	synthetic fiber
a fibra	fiber, thread
sintético	synthetic
a lã	wool
o linho	linen
a seda	silk

As cores	Colors
azul	blue
amarelo	yellow
branco	white
cinza	gray
marrom	brown
preto	black
verde	green
vermelho	red

Eu gostaria de ver ...   A2

o tamanho	size
... fica bem na senhora.	...looks good on you.

The verb ficar *has many meanings.*

São Paulo fica no Brasil	São Paulo is in Brazil
eu fico em casa	I stay home
azul fica bem em você	blue looks good on you
ficar doente	to become sick
ficar feliz/triste/...	to become happy/sad/...
ficar em 20 dólares	to amount to $20

experimentar	to try on
o provador	dressing room
Fique à vontade.	Make yourself comfortable
à vontade	relaxed, at ease
o cheque	check
o cartão (*de crédito*), -ões	credit card
o caixa	cashier
exatamente	exactly

O que vestir?   A3

vestir	to wear, to dress
pôr	to put on

Você tem certeza?	Are you sure?
a certeza	certainty
andar elegante	to be elegant always
elegante	elegant, chic
preocupar-se	to worry
o cotidiano	everyday routine
o acessório	accessory
o terno	man's suit
o paletó	man's coat, jacket
o short	shorts
o maiô	bathing suit
o tênis	tennis shoes, sport shoes
o cinto	belt
o anel	ring
o lenço	handkerchief
o vestido	dress
o biquíni	bikini
o sapato de salto alto	high-heeled shoe
o salto	shoe heel
o brinco	earring
o colar	necklace
a pulseira	bracelet, wristband
o casamento	wedding
o coquetel	cocktail

B1 Verbo irregular *pôr*

pôr	
pôr dinheiro no banco	to put money in the bank
pôr roupa na mala	to put clothes in the suitcase
pôr vinho na geladeira	to put wine in the refrigerator
pôr gelo na Coca	to put ice in the coke
pôr documentos na pasta	to put documents in the briefcase

a conta	bill, account
pelo amor de Deus!	for the love of God!
o amor	love
a mala	suitcase

o homem	man
a geladeira	refrigerator
o gelo	ice
a pasta	briefcase
o uniforme	uniform

Verbo irregular *vir* B2

vir	to come
a esposa	wife
alguém	someone

ir e *vir* B3

Cadê você?	Where are you?
cadê	Where?

aqui	here (where I am)
aí	there (*where you are*))
ali	there (*further*)
lá	there (*furthest*)

depois-de-amanhã	the day after tomorrow

Verbo irregular *vestir-se* B4

vestir-se	to get dressed
depressa	fast, quickly

Futuro do pretérito B5

a loteria	lottery
a África	Africa
a China	China
a Índia	India
a Amazônia	the Amazon region
o macarrão, -ões	macaroni

B6 Futuro do presente

acontecer	to happen, occur
a cerimônia	ceremony
o curso	course
desenvolver	to develop
a micro-informática	personal computer

C No Brasil é diferente ... ou será que não?

No Brasil costumamos ...	In Brazil we are accustomed...
costumar	to be used to, to be accustomed
a hora marcada	appointed time, appointment
marcado	appointed, marked
o atraso	delay, tardiness
normal	normal
ninguém se importa	no one minds
importar-se	to mind
o chocolate	chocolate
acabar	to end, finish
sinalizar	to signal
ir embora	to go away
... sem especificação de tempo	without a specified time
a especificação, -ões	act of specifying
Passa lá em casa.	Drop by the house.
Aparece em casa.	Come over to the house.
aparecer	to appear, show up
Vamos tomar um café lá em casa qualquer dia.	Let's have coffee at my house some day.
realmente	really
a regra de comportamento	rule of behavior
a regra	rule, standard
o comportamento	behavior, manner
o nível de idade	age level
o nível	level

D1 Minha tia vai para Brasília

o/a tio/a	uncle, aunt

o proletariado	proletariat
a ironia	irony
a importância	importance
exagerar	to exaggerate
a simplicidade	simplicity
o proletário	proletarian

O significado das cores E1

o significado	significance
associar	to associate
roxo	purple, violet
rosa	rose, pink
laranja	orange
bege	beige

Formas E2

o adjetivo	adjective
o objeto	object
quadrado	square
retangular	rectangular
redondo	round
oval	oval
triangular	triangular
curto	short
o corredor	corridor

Lição 10

A1 A família

o avô	grandfather
a avó	grandmother
os avós	grandparents
o pai	father
o/a cunhado/a	brother/sister-in-law
a nora	daughter-in-law
o genro	son-in-law
o/a neto/a	grand-son/daughter
o/a primo/a	cousin
o/a sobrinho/a	nephew/niece
o esquema	scheme, project, plan
representar	to represent

A2 Parentes

o/a parente	relative, kin
paterno	paternal
o navio	ship
nascer	to be born
a capital	capital
conhecer	to be acquainted with
casar	to marry
os dados	facts
a lista	list
... tinham acabado de chegar	...had just arrived
acabar de	to just...
cheio	full, crowded
materno	maternal
conosco	with us
além disso	besides, moreover
tradicional	traditional, conservative
o escândalo	scandal

70

fazer parte	to be a constituent of
trazer	to bring
solteiro	single
separado	separated
divorciado	divorced
viúvo	widowed
a liberdade	freedom

Verbo irregular *trazer* B1

o leite	milk
a notícia	news, information
quebrar	to break
a Holanda	Holland
a garrafa	bottle
a mudança	move, change, alteration
o leva-e-traz	talebearer

Verbo irregular *dizer* B3

o chato	bore
anteontem	day before yesterday
mesmo assim	even so
ora	well
a paz	peace

Mais-que-perfeito composto B4

composto	compound
a formação	formation
o uso	usage, use
o passado anterior	past past
o cartão (*postal*), -ões	post card

Mais-que-perfeito simples B5

o texto escrito	written text
a linguagem falada	spoken language

o namoro	courtship
o coronel.	*important landowner in the northeast*
reescrever	to rewrite
substituir	to replace

C1 Festas ao longo da vida

ao longo de	life-long
especialmente	specially
inquieto	uneasy, anxious
duvidoso	doubtful, uncertain
o alvorecer	dawn, daybreak
o botão	bud, flowerbud
a rosa	rose
a mocidade	youth
universitário	of a university
solene	solemn
o baile	dance, ball, function
comemorar	to commemorate, celebrate

C2 Parabéns

os parabéns	congratulations
a data	date
cumprimentar	to congratulate
a ocasião	occasion
Felicidades!	Good luck! Best wishes!
Feliz Natal!	Merry Christmas!
o Natal	Christmas
Sucesso!	Success!
Feliz aniversário!	Happy birthday!
o aniversário	birthday
Feliz Ano Novo!	Happy New Year
o Ano Novo	New Year
Boas entradas!	Good start! (*for New Year*)
.a formatura	graduation, commencement

A imigração japonesa no Brasil   D1

a imigração, -ões	immigration
corresponder	to correspond
a chegada	arrival
o tipo físico	physical type
o tipo	type
físico	physical
o preconceito	preconception, prejudice
a correção, -ões	correction
a maioria	majority
europeu	European
tratar	to treat, deal with

Entrevista com Dona Yoshiko Ishihara, 69 anos   D2

a lavoura	agriculture
suficiente	enough, sufficient

Campos de palavras   E

o campo de palavras	field of words
o campo	field
conseguir	to manage, achieve
separar	to separate
a coluna	column
de acordo com	in accord with
a aposentadoria	old-age pension, retirement
a garganta	throat
as Bodas de Prata	Silver wedding
as Bodas de Ouro	Golden wedding

Lição 11

A1 Atividades nas férias

acampar	to camp
pescar	to fish
pintar	to paint, draw
o mergulho	dive
esquiar	to ski
o alpinismo	mountain climb
o windsurf	windsurfing
a galeria de arte	art gallery
sozinho	alone
a excursão, -ões	excursion, trip
organizado	organized

A2 Talvez vá para o Pantanal

por acaso	by chance
à vontade	at ease, relaxed
a pousada	inn
tomara	Oh I hope...
valer a pena	to be worth the pain
valer	to be worth
a pena	pain
depende	it depends
depender	to depend on

A3 Pode ser que ele leve comida de casa

o viajante	traveler
o azarado	unlucky person
ficar irritado	to be irritated
irritado	irritated, angry
aceitar	to accept
o boa-vida	idler, easy-going person
flertar	to flirt

74

comportar-se	to behave
a lembrança	remembrance, souvenir, memory
a paisagem	landscape, scenery
o guarda-chuva	umbrella

Plano de viagem ao Brasil A4

o folheto	brochure, pamphlet
pretender	to intend
a alimentação, -ões	food
alugado	rented

Presente do subjuntivo - Formas regulares B1

a partir de	from the...

---

a gente   **we**
com a gente   with us

A gente *has a colloquial usage to mean ''we''. Although plural in meaning, it is conjugated in 3rd person singular.*

a gente vai à praia   we go to the beach

---

no mês que vem	next month

Alguns usos do presente do subjuntivo B2

proibir	to prohibit
o desejo	wish, desire
duvidar	to doubt
o sentimento	feeling
o produto natural	natural products
o produto	product, produce

B4 Pronomes indefinidos: *alguém, algum, algo, ninguém, nenhum, nada*

o pronome indefinido	indefinite pronoun
indefinido	indefinite
algo	something, anything
nenhum	none, no one, not any, neither

B5 Dupla negação

a negação, -ões	negative
a vida sexual	sexual life
sexual	sexual
o elefante	elephant

C1 Jacaré 2 × Polícia 0

fracassar	to fail
a tentativa	attempt
sobreviver	to survive
a planta	plant

C2 O oxigênio na água ao longo do rio Tietê

o oxigênio	oxygen
o miligrama	milligram
o litro	liter
a nascente do rio	mouth of the river
o noroeste	northwest
o norte	north
o leste	east
a quantidade	quantity
o esgoto	drain, sewer
'in natura"	not treated
tratado	treated
o animal aquático	aquatic animal
a bactéria anaeróbica	bacteria
o gráfico	graph, chart
poluído	polluted

ecológico	ecological
a solução, -ões	solution
o problema ambiental	environmental problem
a poluição, -ões	pollution
a poluição sonora	noise pollution
o caminhão, -ões	truck
a poluição visual	visual pollution
a propaganda	propaganda, advertising, publicity
o outdoor	outdoor advertising, billboard
o desmatamento	destruction of forest
a floresta	forest
o lixo	trash
a usina nuclear	nuclear plant
a usina	plant
nuclear	nuclear
o medo	fear
irreal	unrealistic, unreal
utópico	utopic
realista	realistic
eventualmente	eventually
a circulação de carros	automobile traffic
a circulação, -ões	traffic, circulation
certos dias	certain days
o consumo	consumption
a educação, -ões	education
instalar	to install
o filtro	filter
o desemprego	unemployment
perigoso	dangerous

De bem com o verde   D1

de bem com o verde	friendly with nature
a reportagem	newspaper report
o conteúdo	content
a ilha	island
o habitante	inhabitant
econômico	economical
morador	resident
a técnica	technique

a colheita	harvest
o açaí	*small fruit from Pará*
o lazer	leisure, recreation

D2 O Barquinho

o barquinho	small boat
a canção, -ões	song
a brisa	breeze
a tranqüilidade	tranquility, peace
o espaço largo	large, vast space
o espaço	space, area
largo	vast, wide
o vento	wind

E1 Aumentativos

o aumentativo	augmentative
o palavrão, -ões	insulting word, dirty word
o cidadão, -ã, ãos, ãs	citizen
o papelão	cardboard
a metrópole	metropolis, capital (*city*)
resistente	resistant, strong
vulgar	vulgar
o pedaço	piece
os direitos civis	civil rights
político	political

E2 Diminutivos

| o diminutivo | diminutive |

E3 Profissões

o carteiro	mailman, postman
o leiteiro	milkman
o verdureiro	greengrocer
o jornaleiro	newsboy, newspaper boy
o sapateiro	shoemaker, cobler
o banqueiro	banker
entregar	to deliver
consertar	to repair

Lição 12

dividir   to divide

As regiões	The geographical regions
o Norte	The North (*Includes the states of Amazonas, Pará, Roraima, Amapá, Rondônia and Acre*)
o Nordeste	The Northeast (*Includes the states of Maranhão, Piauí, Ceará, Rio Grande do Norte, Paraíba, Pernambuco, Alagoas, Sergipe and Bahia*)
o Centro-Oeste	The Middle West (*Includes the states of Tocantins, Mato Grosso, Goiás, The Federal District and Mato Grosso do Sul*)
o Sudeste	The Southeast (*Includes the states of Minas Gerais, Espírito Santo, Rio de Janeiro and São Paulo*)
o Sul	The South: (*Includes the states of Paraná, Santa Catarina and Rio Grande do Sul*

a renda média mensal	average monthly income
a renda	revenue, income
médio	middle, average
mensal	monthly
a influência	influence
indígena	Indian
africano	African

79

equatorial	equatorial
tropical	tropical
a estação seca	dry season
seco	dry
semi-árido	semi-arid
a altitude	altitude
subtropical	subtropical
significar	to signify
população	population
temperado	temperate
a seca	drought, dryness
a época de chuva	rainy season
específico	specific
o solo	soil, earth
fértil	fertile
árido	arid, dry
a agricultura	agriculture
os recursos minerais	mineral resources
a produção agrícola	agricultural production
a produção, -ões	production
agrícola	agricultural
a soja	soybean
o milho	corn
a cana-de-açúcar	sugarcane
o trigo	wheat
a uva	grape
a pecuária	cattle raising
a criação de gado	cattle breeding
o gado	cattle
a referência	reference, indication
o cacau	cacao-bean, cocoa, cacao
os minérios	minerals

A2 Estereótipos

o estereótipo	stereotype
contar	to tell
a piada	joke
raramente	rarely, seldom
o pão-duro	miser, stingy person
o machão, -ões	macho, tough guy
esquentado	hot tempered

o carioca	*Person from the city of Rio de Janeiro*
o paulistano	*Person from the city of São Paulo*
o paulista	*Person from the state of São Paulo*
o mineiro	*Person from the state of Minas Gerais*
o gaúcho	*Person from the state of Rio Grande do Sul*
o baiano	*Person from the state of Bahia*

In São Paulo, the word *baiano* is used in a derisive way to describe all the migrants who come from the Northeast

o chimarrão, -ões	*tea, traditional in Rio Grande Sul*
horrível	horrible
o preconceito	prejudice, preconception
classificar	to classify
suportar	to suffer, endure
adorar	to love, adore
Deus me livre	God forbid
odiar	to hate
taí gente boa	here are good people
detestar	to detest
a idéia	idea
ao contrário	on the contrary
o contrário	opposite

Pronomes indefinidos   B2

a maneira	manner, way, form
morrer	to die
absurdo	absurd
custar uma fortuna	to cost a fortune
a fortuna	fortune

81

B3 Voz passiva

a voz passiva	passive voice
excluir	to exclude
descobrir	to discover
ignorar	not to know, disregard
a justiça	justice
discriminar	to discriminate
forçar	to force
o mercado de trabalho	labor market
o mercado	market
jovem	young
o estudo	study
demonstrar	to demonstrate
cerca de	around
o jovem	youth
na faixa de ...	in the range of...
a faixa	area, band
ingressar	to enter, go in
deveriam	they should
a discriminação, -ões	discrimination
a marca	mark, brand
a sociedade	society
apenas	only, scarcely
o negro	Negro, black
o pardo	person of mixed blood
o branco	white
absorver	to absorb, fill with
respeitar	to respect

C1 Influências na cultura brasileira

a cultura	culture
a culinária	cookery, culinary art
a raça	race

> **o candomblé** Religion of the Ioruba negroes in Bahia. In candomblé the world is ruled by the Orixás (=African deities).

In Brazilian Portuguese many comon words are of African or Indian origin. Some examples:

From African languages:

axé	peace
o cafuné	a soft scratching or stroking on the head
xingar	to curse

From Indian languages:

a mandioca	manioc
o tatu	armadillo

Many places have names of Indian origin, such as Iguaçu, Ibirapuera.

Culinária C2

o glossário	glossary
o quibebe	dish made of pumpkin
a abóbora	pumpkin, squash
o vatapá	Brazilian dish (*made of manioc flour, oil, pepper, fish, shrimps, peanuts, meat*)
o leite de coco	coconut milk
o amendoim	peanut
a castanha de caju	cashew nut
temperar	to season
o tempero	seasoning, spice, condiment
a canjica	*sweet dish made from fresh corn, coconut milk, cinnamon*
o milho verde	fresh corn
ralar	to grate
a canela	cinnamon
a pamonha	*green corn paste, rolled and baked in fresh corn husks*
a manteiga	butter
o quiabo	okra

o azeite de dendê	palm oil
os ingredientes	ingredients
comum	common
exótico	exotic
a delícia	delicacy

D1 Bumba-meu-boi

o bumba-meu-boi	*Traditional celebration in Maranhão*
o boi	ox
o início	beginning, start
assinalar	to mark
a opção	option
a tradição	tradition
o personagem principal	principal character
o fato	fact, event
devolver	to return, give back
ressuscitar	to revive, ressuscitate

D2 Em algum lugar do Brasil

a conversa	conversation
fugir	to escape, elude

E Pacotes, potes e saquinhos

o pacote	package
o pote	pot
o saquinho	small sack, bag
a barra de margarina	stick of margarine
a barra de chocolate	chocolate bar
a lata	can
o óleo	oil
a caixa de sucrilhos	box of corn flakes
a caixa	box
a dúzia	dozen
a fatia	slice
o rolo	roll
o papel alumínio	aluminum foil

o alumínio	aluminum
o iogurte	yogurt
o pé de alface	head of lettuce
o alface	lettuce
a cabeça de alho	head of garlic
o alho	garlic
o dente de alho	clove of garlic
o maço de cheiro verde	bunch of green onions and parsley
o maço	bunch, bundle
o maço de cigarros	pack of cigarettes
o cigarro	cigarette
o cacho de bananas	bunch of bananas
o vidro	glass
o tubo	tube
a mostarda	mustard
o tablete	tablet
o grama	gram
o vinagre	vinegar
o fósforo	match
a sardinha	sardine
a geléia	jam, marmalade
o espinafre	spinach
o fermento	yeast
o patê	pate
o salame	salami
o papel higiênico	toilet paper
o papel toalha	paper towel
o queijo parmesão	parmesan cheese

Revisão

R1 Pessoas

o barzinho   snack bar

R2 Na porta do banheiro

pontualmente   punctually

R3 Secretária eletrônica

numerar   to number

R4 Jogo da velha

o arco-íris   rainbow

R5 Jacarés e escadas

a escada   ladder
o dado   die
o peão, -ões   pawn
a meta   goal
a rodada   round
o sintoma   symptom

R6 Qual é o intruso

o intruso   intruder, trespasser
o tucano   toucan

Pingue-pongue R7

o pingue-pongue	ping pong
o círculo	circle
errar	to error

Álbum de fotografias R8

o álbum	album
a recordação	remembrance

Impresso nas oficinas da
EDITORA PARMA LTDA.
Telefone: (011) 912-7822
Av. Antonio Bardella, 280
Guarulhos - São Paulo - Brasil
Com filmes fornecidos pelo editor